J'apprer
à lire
avec Sami et

Le tipi de **Sami**

hachette
ÉDUCATION

Avec Sami et Julie, lire est un plaisir !

Avant de lire l'histoire

- Parlez ensemble du titre et de l'illustration en couverture, afin de préparer la compréhension globale de l'histoire.
- Vous pouvez dans un premier temps lire l'histoire en entier à votre enfant, pour qu'ensuite il la lise seul.
- Si besoin, proposez les activités de préparation à la lecture aux pages 4 et 5. Elles permettront de déchiffrer les mots les plus difficiles.

Après avoir lu l'histoire

- Parlez ensemble de l'histoire en posant les questions de la page 30 : « As-tu bien compris l'histoire ? »
- Vous pouvez aussi parler ensemble de ses réactions, de son avis, en vous appuyant sur les questions de la page 31 : «Et toi, qu'en penses-tu ?»

Bonne lecture !

Couverture : Mélissa Chalot
Maquette intérieure : Mélissa Chalot
Mise en page : Typo-Virgule
Illustrations : Thérèse Bonté
Édition : Laurence Lesbre
Relecture ortho-typo : Emmanuelle Mary

ISBN : 978-2-01-910379-8
© Hachette Livre 2016.

Achevé d'imprimer en Espagne par Unigraf
Dépôt légal : juin 2018 - Collection n° 12 - Édition: 06 - 25/6675/8

Les personnages de l'histoire

Pour préparer la lecture

1 Montre le dessin quand tu entends le son (i) dans le mot.

2 Montre le dessin quand tu entends le son (o) dans le mot.

3 Lis ces syllabes.

mi di id ba tir pi

mu plu so ari ve mè

4 Lis ces mots outils.

une	là	et	un	va
ils	des	elle	est	les

5 Lis les mots de l'histoire.

Sami

un tipi

un tapis

un totem

des plumes

une pipe

5

À midi Sami

a une idée !

Là-bas, il va bâtir

un tipi !

– Là un mur, dit Sami.

– Et là, le sol, dit Tom.

Léo et Noé arrivent !

Ils apportent

une pierre.

– La porte ! dit Léo.

Nina apporte un tapis.

Et Léa un mini totem !

Zoé apporte des plumes.

Elle dit :

– Salut la tribu

des Atakapas !

– Tu as le mot de passe ?

– Mmmm ?... Tipi ?

– Ok ! dit Sami.

14

Le tipi est fini.

Sami est assis.

Il a mis la plume

sur sa tête.

Il est ravi !

Attirés par le tipi,

des élèves de CE1

arrivent.

Ils rient :

– Le tipi des CP est râté !

Ah ah ah !

rit un CE1.

– Ah ah ah ! Il est nul !

Sami et Tom se lèvent :

– Stop ! dit Sami.

– Arrête ! dit Tom.

Une énorme dispute

débute !

Les CE1 repartent vite.

Vive les CP !

Vive les Atakapas !

Zut, le tipi

a été saboté !

Sami a

une super idée… :

le réparer !

As-tu bien compris l'histoire ?

1 Qui aide Sami à construire le tipi ?

2 Quel est le mot de passe pour pouvoir rentrer ?

3 Comment s'appelle la tribu d'Indiens de Sami ?

4 Pourquoi y a-t-il une dispute ?

Et toi, qu'en penses-tu ?

Et toi, est-ce que tu as déjà fabriqué des cabanes comme Sami ?

Connais-tu d'autres noms de tribus d'Indiens ?

À quoi joues-tu pendant les récrés ?

Qu'est-ce que tu fais si quelqu'un t'embête à la récré ?

À ton avis, est-ce que les CE1 ont le droit d'embêter les CP ?

Dans la même collection :